S0-AXB-524

POLAR
UN OSITO EN EL TITANIC

POLAR

UN OSITO EN EL TITANIC

Título original: *Polar. The Titanic Bear*
Traducción: Carles Urritz

Enric Granados, 84. 08008 Barcelona

Primera edición: marzo 1998
ISBN: 84-233-2996-8
Depósito legal: B. 10.272-1998
Impreso por Gayban Grafic, S.A.
Almirante Oquendo, 1-9. Barcelona
Impreso en España - Printed in Spain

DAISY CORNING STONE SPEDDEN
Ilustraciones de LAURIE MCGAW
Introducción de LEIGHTON H. COLEMAN III

EDICIONES DESTINO
MADISON PRESS BOOK

En recuerdo de
Douglas y Polar,
y dedicado a
Susie e Isabelle,
cuyas aventuras
apenas han empezado

L.H.C. III

Para
Anthony y Gwynne,
con cariño

L.M.

Margaretta Spedden, «Daisy»,
en su casa de Tuxedo Park.

INTRODUCCIÓN

Descubrí este cuento sobre un niño y su oso de juguete entre los efectos personales de Daisy Corning Stone Spedden, familiar mía. Se trata de un cuento real que Daisy escribió para Douglas, su único hijo. Dibujó la ilustración para la cubierta y se lo regaló a Douglas el día de Navidad de 1913, cuando el niño tenía ocho años.

Douglas (o el «amo» como se le llama en el cuento) estaba entusiasmado con Polar, su precioso oso de mohair blanco. La célebre empresa alemana Steiff fabricó a Polar, i la tía de Douglas lo compró en los almacenes F.A.O. Schwarz de Nueva York. Esta juguetería, en la actualidad la más antigua de América, sigue vendiendo osos de la casa Steiff.

Polar no era un oso normal y corriente. Poseía unos cuantos vestidos, además de sus propios muebles. Participaba en las fiestas familiares y se iba de vacaciones con ellos. Además, Polar realizó con los Spedden una serie de viajes por el mundo.

Los padres de Douglas tenían mucho dinero. Podían dedicar la vida a su hijo, a sus viajes y a sus aficiones. Daisy llevaba un detallado diario y era una gran amante de la fotografía. A su marido, Frederic, le encantaba navegar. Douglas tenía una niñera, Elizabeth Margaret Burns, a quien él llamaba «Muddie Boons», pues le costaba pronunciar su nombre.

La familia vivía en una elegante ciudad situada a las afueras de Nueva York, llamada Tuxedo Park. Pasaban los veranos en la playa, cerca de Bar Harbor, en Maine, y los inviernos en lugares turísticos de todo el mundo. Los Spedden viajaron en lujosos transatlánticos que los llevaron a exóticos puertos del Caribe, de África y del sur de Francia. Douglas tuvo la suerte de ver cosas que otros niños sólo conocían a través de los libros, entre las cuales podemos citar el canal de Panamá, una de las obras de ingeniería más importantes de la historia, y la torre Eiffel, la estructura más alta del mundo en 1912.

Sin embargo, la vida hace ochenta años no era algo perfecto, ni siquiera para los ricos. Por aquel entonces no había medicinas para curar algunas enfermedades infantiles, como el sarampión, y a los niños que las contraían se les separaba de las otras personas durante el largo período de recuperación. Además, viajar de Europa a Norteamérica en aquella época no era algo que se solucionara con seis horas de vuelo en un avión. Circulaban pocos aviones y el único sistema para cruzar el océano consistía en pasar siete días en un transatlántico.

Cuando los Spedden consiguieron un pasaje hacia América en el *Titanic*, en abril de 1912, se consideraron muy afortunados. El *Titanic* era el mayor barco del mundo y el más nuevo: un palacio flotante con todas las comodidades y lujos de la vida moderna.

Douglas y Polar subieron emocionadísimos al barco de pasajeros más espléndido que se hubiera construido jamás. Ni por un momento habrían soñado que participarían en la más célebre catástrofe de la historia.

Leighton H. Coleman III

Douglas, con Polar a sus pies, junto a sus padres en la terraza de un hotel de Madeira.

«Con ése ya llevo diez osos hoy», soltó la voz de una joven, satisfecha. De pronto noté que me lanzaban al aire y acabé pegándome un golpe contra un duro banco de madera. Abrí los ojos y eché un vistazo a la amplia e iluminada sala, llena de serrín, herramientas y recortes de fieltro. A uno y otro lado de una larga mesa, unas jóvenes cosían con gran rapidez unos ojos negros de cristal a los ositos. Enseguida me di cuenta de que se ganaban la vida haciendo osos y otros animales de peluche para las tiendas de juguetes de todo el mundo. Navidad estaba a las puertas y tenían que satisfacer un importante pedido.

Aquel lote especial de osos, en el que me incluía yo, tenían que mandarlo de Alemania a América.

Me preguntaba dónde estaría América y cómo iba a llegar hasta allí, pero no tardé mucho en saberlo.

CLARA
GWYNNE
EMMA
DOLLS
COMPLETE
RAILWAYS
OWEN

A la mañana siguiente me metieron en una caja abarrotada, con los dedos de los pies contra las orejas. Pasé unas semanas en la oscuridad, zarandeado de acá para allá. Lo primero que oí fue el traqueteo del tren de carga, luego el balanceo del barco y más tarde los gritos de los mozos del muelle.

Se me olvidó, no obstante, lo que me dolían las patas cuando una joven me sacó de la caja y me colocó en un estante junto a otros doce osos. Nos quitó el polvo a todos y seguidamente nos puso unas cintas azul celeste o rosas en el cuello. Había llegado a los almacenes F.A.O. Schwarz de Nueva York, la mayor juguetería del mundo.

Me dejaron atónito los bellísimos objetos que veía desde mi estante. Del techo colgaban todo tipo de artefactos voladores: dirigibles, aeroplanos y globos aerostáticos. Ante mí, en una gran caja veía muebles en miniatura para casas de muñecas: minúsculas jaulas de pájaros, cochecitos para bebés y bañeras con muñecas de porcelana en su interior. Había asimismo un magnífico ferrocarril eléctrico, y yo veía la brillante y roja locomotora que daba vueltas y más vueltas, pasando por delante de torres de control y estaciones.

Postal de 1910 de los almacenes principales de F.A.O. Schwarz.

Antiguo cartel publicitario de F.A.O. Schwarz.

Puesto que se acercaban las Navidades, la tienda se llenaba todos los días. Mis compañeros, los osos, iban desapareciendo de uno en uno, y yo no hacía más que preguntarme cuándo llegaría mi turno.

Un día, una señora de rojas mejillas me miró de arriba a abajo con gran curiosidad, me puso bien el lazo azul y dijo que me llevaba con ella. Sentí tristeza al tener que abandonar aquel maravilloso lugar y no soportaba la idea de que una de las dependientas me metiera de nuevo en una horrible caja.

Permanecí unos días en un armario. Cuando pensaba que ya todo el mundo se había olvidado de mí, una mañana, aquella señora me sacó de la caja. Bajamos hacia los muelles y subimos a bordo de un barco llamado *Caronia*.

La madre de Douglas con unos amigos en la cubierta del Caronia.

Las cubiertas del barco estaban abarrotadas de gente que se despedía. Eché un vistazo a mi alrededor pensando qué iba a ser de mí y vi a un niño que corría.

Abrazó a la señora de las mejillas rojas, exclamando: «¡Ay, tía Nannie, ojalá pudieras venir con nosotros!»

Ella le dio un fuerte abrazo y me presentó a él. El niño, mi nuevo dueño, estaba con su padre, con su madre y la niñera Burns, a quien él llamaba «Muddie Boons». Bajaron algunas personas a despedir a la familia y todas fueron admirándome por turnos, lo que me hizo sentir muy orgulloso.

«¡Qué erguida mantiene la cabeza!», dijo el padre de mi amo. «¿Cómo vas a llamarle?»

«Polar», respondió mi amo en el acto.

El hotel Reid's Palace era uno de los más elegantes de Madeira.

El tenis y los paseos por el puerto formaban parte de la visita a la isla.

Al cabo de una semana avistamos la isla de Madeira, cerca de Portugal, donde íbamos a permanecer unos meses. Pisamos tierra firme una preciosa y clara tarde. Atravesamos las bulliciosas calles en dirección a nuestro hotel en un desvencijado carro de madera tirado por un buey.

Nuestro hotel era una maravilla. Al amo, a Muddie Boons y a mí nos asignaron una amplia y soleada habitación que daba al jardín y, más allá, al mar azul.

Pasé unos días haciendo el remolón bajo las palmeras, observando como el amo construía casitas con palos y piedras, a las que rodeaba de jardines en miniatura. Montamos en carros tirados por bueyes cada vez que nos desplazábamos hacia las colinas para explorar las distintas partes de la isla.

Un desafortunado día, mi amo se despertó con la cara llena de manchas rojas. «Tiene el sarampión», dijo el médico, muy serio. «Tendrán que ponerlo en cuarentena.» Todo el mundo parecía preocupado.

El amo, Muddie Boons y yo fuimos trasladados a una casita situada cerca del hotel. La madre del amo explicó que estar en «cuarentena» significaba permanecer lejos de los demás huéspedes a fin de no contagiarles el sarampión.

No llevábamos ni cinco minutos en la nueva casa cuando un gran ratón pardo cruzó el suelo como una bala. La pobre Muddie Boons soltó un chillido y se puso a perseguirlo con una escoba. Poco después ella misma bautizó la casita con el nombre del «Castillo del ratón», pues estaba llena de ratones, ratas y hormigas, y la niñera se pasaba el tiempo intentando matarlos. A mí no me hacía ninguna gracia el nuevo alojamiento, ya que mi amo estaba demasiado enfermo para hacerme caso y me dejaron olvidado en un rincón.

El «Castillo del ratón», donde Muddie Boons estuvo al cuidado de Douglas.

El médico nos visitaba a menudo, y los padres del amo acudían todos los días con huevos frescos y leche. Noche tras noche observé como Muddie Boons permanecía junto al amo, despierta,

cogiéndole su ardiente y flácida mano. Pasó una semana y empecé a plantearme si volvería a ponerse bien para poder jugar otra vez conmigo.

Pero una mañana oí que el amo preguntaba por mí con un hilillo de voz. Muddie Boons me acercó a él y el amo me colocó en su almohada, donde permanecí todo el día sin moverme.

Poco a poco, mi amo fue recuperando las fuerzas. Se sentaba en la cama, me lavaba la cara y las patas, me colocaba bien la cinta y me daba el desayuno. Me hacía tan feliz ver que estaba mejor que ni siquiera me daba cuenta de lo que hacía conmigo. Lo que no me gustó nada fue el baño que me preparó Muddie Boons una mañana en un horrible y apestoso líquido que se llamaba desinfectante. También bañó al amo en él. Luego aparecieron dos hombres en el jardín con una hamaca. Con gran tiento metieron al amo en ella y él sujetaba con fuerza en una mano su banderita americana y con la otra a mí. Muddie Boons dirigió la expedición y todos volvimos a nuestra soleada habitación del hotel.

Douglas es transportado de nuevo al hotel, donde le vemos descansando en la terraza.

Pronto Douglas se puso bien y pudo sentarse y jugar. Aquí le vemos fotografiado con el médico y con Muddie Boons.

A primeros de abril, volvimos a América en un barco llamado *Adriatic*. Al llegar a Nueva York nos dirigimos a la nueva casa del amo, en Tuxedo Park, rodeada de árboles y con vistas a un pequeño lago.

Cuando el tiempo se hizo caluroso y pegajoso, nos trasladamos a la residencia de verano de la familia, cerca de Bar Harbor, en Maine. Allí yo disfrutaba lanzándome al mar con el amo o sentado en las rocas mientras él construía fuertes y castillos. En una ocasión se olvidó de mí y las olas estuvieron a punto de arrastrarme mar adentro; afortunadamente el amo me rescató a tiempo.

Polar sentado en su propia mesa durante la cena de Navidad en Tuxedo Park.

Cuando llegó el invierno volvimos a Tuxedo Park. El amo y yo dábamos volteretas en la nieve y construíamos hombres de nieve. Lo que más me gustaba eran los paseos en su trineo, cuando corríamos a toda velocidad atravesando el lago cubierto de hielo y el frío viento silbaba en mis oídos.

En Navidad tuve mi propio árbol y también nuevos juguetes. Disfruté del delicioso pavo que me sirvieron para cenar en una mesita que había construido el amo para mí.

Douglas y su familia vieron cómo se construían estas inmensas esclusas para el canal de Panamá. La postal muestra el gran caudal de agua que había que controlar.

En Año Nuevo nos embarcamos de nuevo hacia lugares cálidos y soleados. Fuimos a Panamá, donde estaban construyendo un gran canal que atravesaba el país e iba a permitir a los barcos navegar de un extremo al otro. Uno de sus ingenieros invitó al amo, a Muddie Boons y a mí a dar una vuelta en su gran coche particular para que viéramos todo aquello. Bandadas de loros de gran colorido salían volando de los árboles mientras avanzábamos velozmente por las carreteras de la selva.

Douglas y su madre en una playa de las Bermudas.

Hicimos nuestra última escala en las

Bermudas. El amo me llevó a una preciosa playa donde pasamos largas tardes. Me construyó una especie de trono en la arena para que me instalara y me dijo: «Polar, no te muevas de aquí, quédate callado mientras yo trabajo».

Y yo me senté allí observando cómo jugaba y oliendo el aire salado.

Cuando llegó otra vez el invierno nos embarcamos de nuevo en el *Caronia*, en esta ocasión con destino a Argel, en el norte de África. Hacía sol y por ello nos pasábamos el día en cubierta jugando con los otros niños. El capitán del barco y mi amo eran muy amigos, y aquél nos invitaba a menudo a su camarote a tomar el «té», que era como llamaba el amo a su agua caliente con azúcar.

En Argel vimos árabes vestidos con largas y holgadas túnicas. Nos alojamos en un gran hotel con jardín, donde yo pasaba muchos ratos en un barco con Muddie Boons mientras el amo jugaba a la pelota.

En febrero celebramos el aniversario de George Washington. El amo invitó a unos cuantos amigos. Decoramos la mesa con banderas americanas, y el amo se vistió en tonos rojo, blanco y azul. ¡Después de la merienda todos sacamos nuestros regalos de una gran bolsa!

Postal en la que se ve la plaza principal de Argel.

Douglas y su padre en el jardín del hotel.

Las postales nos muestran panorámicas de Montecarlo y Cannes en 1912.

Desde Argel tomamos rumbo hacia la costa del sur de Francia. En Montecarlo, llegamos hasta el hotel, situado en la colina, en un curioso y estrecho tren. El amo me contó que se trataba de un funicular y que lo arrastraban por medio de un cable.

Luego nos trasladamos a Cannes, donde permanecimos casi un mes. Todas las mañanas yo esperaba sentado en el jardín del hotel mientras el amo tenía su clase de ortografía con Muddie Boons.

Un día oímos un fuerte sonido zumbante.

«¡Un aeroplano!», gritó el amo, soltando los libros.

«¡Madre mía!», exclamó Muddie Boons levantándose de un salto. Todos estiramos el cuello hacia el cielo y observamos el aeroplano que daba vueltas allí arriba. Vi al piloto en la cabina con sus gafas protectoras, y él mismo nos saludó con la mano antes de dirigirse hacia el mar.

Cogimos un tren nocturno hacia París. Paseando por los jardines de las Tullerías, vimos niños que hacían navegar sus barquitos en las fuentes y contemplamos unos globos aerostáticos que se alzaban hacia el cielo. Un día subí con el amo hasta la mitad de la torre Eiffel y me

dijo que medía 3.000 metros de altura.
Siempre me precisaba la altura y la
longitud de
las cosas.

Lamenté tener que volver a América pues me encantaba París. En cambio el amo estaba emocionado porque íbamos a regresar a Nueva York a bordo del *Titanic*, un soberbio barco recién construido. Todo el mundo comentaba que era el mayor barco del mundo. Íbamos a realizar con él su primer viaje.

Postal del Titanic *y etiqueta romboidal del barco.*

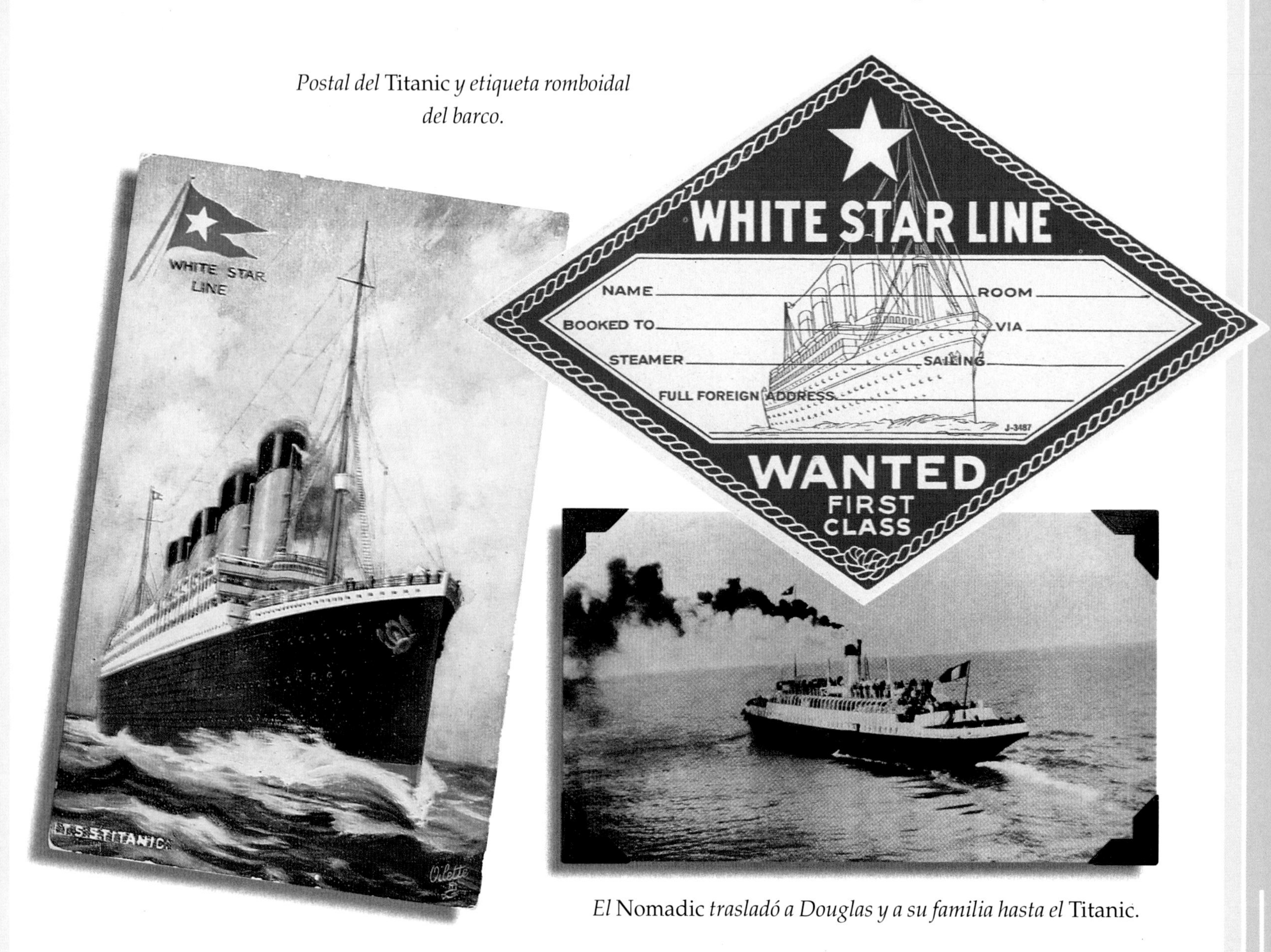

El Nomadic *trasladó a Douglas y a su familia hasta el* Titanic.

El *Titanic* había salido de Inglaterra el día anterior y hacía su primera escala en Cherburgo, Francia. Cogimos un tren hasta Cherburgo y aquella noche un remolcador nos llevó hasta el inmenso barco.

Al subir a bordo, el médico del barco, que nos conocía del *Adriatic*, le dio un beso a mi amo diciéndole: «¡Veo que Polar sigue contigo, jovencito!».

Tuvimos un tiempo bastante agradable durante los primeros días, en los que nos pasábamos casi todo el día en cubierta, donde el amo jugaba con la peonza y a pelota. Aunque nos encantaba explorar el inmenso barco. Había una imponente escalinata con una gran cúpula de cristal en lo alto.

Practicando con el aparato de remo y el camello mecánico en el gimnasio del barco.

La magnífica escalinata.

Una mañana el amo me hizo deslizar a toda velocidad por la barandilla. En el gimnasio del barco veíamos bicicletas, aparatos de remo e incluso un camello mecánico en el que montaban los pasajeros.

La cubierta superior contaba con un solárium, donde nosotros pasábamos las tardes, y el amo me dejaba a una amiguita suya para que jugara conmigo. Comíamos en el salón comedor de primera clase. Allí las mesas estaban cubiertas con unos manteles blancos perfectamente almidonados, lucían cubertería de reluciente plata, y todas las noches la orquesta del barco tocaba para nosotros. ¡Además, nuestra cabina era incluso mayor que el dormitorio que tenía el amo en casa!

Un día, la madre del amo y Muddie Boons bajaron a la cubierta inferior y tomaron un baño turco. No les hizo ninguna gracia aquel baño de vapor caliente, en cambio disfrutaron de lo lindo con un posterior baño refrescante en la piscina del barco.

No. 659

WHITE STAR LINE.

R.M.S. "TITANIC."

This ticket entitles bearer to use of Turkish or Electric Bath on one occasion.

Paid 4/- or 1 Dollar.

Tras tomar un baño turco de vapor, los pasajeros se refrescaban en el elegante salón que se muestra arriba o se tiraban a la piscina del Titanic.

Era nuestra quinta noche en alta mar. Llevaba horas en la cama cuando de repente abrí los ojos. Habían encendido las luces. Muddie Boons estaba vistiendo al amo a toda prisa.

«Vamos a dar una vuelta para ver las estrellas», dijo ella. Los padres del amo estaban ya vestidos. Recogían algunos de sus efectos personales. Me fijé en que la madre del amo se llevaba los salvavidas. Luego, me cogió del estante con red protectora, junto a la cama del amo, y me colocó bajo su brazo. Al poco tiempo nos reunimos con un grupo de gente que esperaba en el vestíbulo principal.

Allí reinaba el silencio, quien hablaba lo hacía en voz muy baja. Alguien susurró que habíamos chocado con un iceberg y que entraba agua en el barco. Un joven de uniforme ayudó al amo a abrocharse el salvavidas. Acariciándole la cabeza le dijo: «Hasta la vista, jovencito».

Entonces, el padre del amo nos dijo que le siguiéramos hasta la cubierta superior, donde íbamos a saltar a uno de los botes salvavidas.

El bote en cuestión se balanceaba en uno de los costados del barco y todo el mundo tenía problemas para saltar a él. Nuestro grupo se mantuvo unido y cuando sumamos unos cuarenta en el interior del bote, un oficial gritó: «Bajadlo», y descendimos hacia el agua con unas terribles sacudidas. El amo me sujetó fuerte en sus brazos. Cerraba completamente los ojos y tenía el rostro muy blanco. Por fin llegamos al agua sanos y salvos y remamos hacia una tenue luz que se veía en el horizonte.

Reinaba la oscuridad. Aparte de las estrellas y de la intensa luz del barco que se erguía en el mar, no veíamos nada de nada. En cuanto nos apartamos del *Titanic*, el capitán lanzó unos cohetes en señal de socorro.

Todos mirábamos el barco de hito en hito, excepto el amo, que se había dormido. Dos horas más tarde, vimos que se hundían las últimas luces y oímos unos terribles gritos que nos confirmaron que todo había terminado. El magnífico *Titanic* se había hundido.

Parecía un horrible sueño. El angustioso silencio y la sensación de total desamparo se cernían sobre los que viajábamos en el bote.

Hacia las tres de la madrugada, se desató un gélido viento y el mar se enfureció. El amo abrió los ojos y dijo que se sentía mareado. Menos mal que Muddie Boons, quien lo tenía en su regazo, le tranquilizó con el cuento de la Cenicienta.

Una hora más tarde, alguien gritó de pronto: «¡Por ahí viene un barco!». Con la vista puesta en el horizonte, primero vimos una luz blanca y luego unos cohetes. Al observar que el barco se iba acercando poco a poco temimos que nos embistiera o que no nos

viera, ya que no llevábamos farol alguno. Pero enseguida vimos que reducía la marcha y luego se detenía.

Cuando se despejó la fina niebla poco antes del alba, pudimos ver cómo se ponía la luna y divisamos una estrella que centelleaba levemente en el horizonte rosado. Los primeros rayos del sol proyectaban un espléndido resplandor en los icebergs que se erguían en el mar a nuestro alrededor.

De pronto el amo abrió los ojos y echando una ojeada a su alrededor exclamó: «Ay, Muddie, fíjate qué precioso es el Polo Norte y eso que no veo a Papá Noel».

Una mujer que había estado llorando le miró sonriendo entre lágrimas.

El barco que nos rescató, el *Carpathia*, parecía muy pequeño entre los restos del naufragio que se veían en el lugar donde se había hundido el *Titanic*. Por fin nos situamos a su lado y los hombre subieron a bordo del *Carpathia* utilizando escaleras de cuerda. Trasladaron a las mujeres a éste en una especie de columpio, y a los niños, en unas cestas de lona.

El Carpathia *avanzaba veloz en la noche para rescatar a los pasajeros del* Titanic *que se encontraban en los botes salvavidas.*

Al poco tiempo habían rescatado a todo el mundo, menos a mí. Me quedé solo, tumbado en el bote vacío. Pasaron unos minutos y no noté cambio alguno. Parecía que todo el mundo se había olvidado de mí. El corazón empezó a latirme con fuerza. Imaginaba que me dejarían allí, empujado por las olas para siempre. ¿No volvería a ver al amo?

De pronto noté un terrible zarandeo y seguidamente otro. El bote se balanceaba de forma peligrosa. Estuve a punto de caer a aquellas heladas aguas mientras unos marineros izaban el bote hasta la cubierta del *Carpathia*. Fui deslizándome por las cuadernas del bote, pegándome golpes en la espalda contra cada una de ellas y finalmente acabé en un charco.

«Éste es el último», dijo un marinero. Con un terrible ímpetu, dio la vuelta al bote y yo aterricé en el duro suelo hecho una piltrafa, calado hasta los huesos.

Creo que pasé allí unas cuantas horas. Luego oí una voz amable.

«¡Vaya! ¿Qué tal? Me alegro de volver a verte.»

Era uno de los marineros del *Titanic*. Me cogió y me escurrió el agua, dejándome casi sin respiración. Me llevó luego por una escalera a un lugar cálido. Aquello estaba lleno de pasajeros envueltos en mantas. Muchos de ellos sujetaban un vaso con una bebida caliente.

Unos marineros izan un bote salvavidas hacia el Carpathia *mientras los supervivientes del* Titanic *hacen cola para conseguir un plato caliente.*

El padre de Douglas mandó este telegrama desde el barco que los rescató a los familiares que habían dejado en casa.

«¡Polar!», exclamó una conocida voz desde el otro extremo del salón. Se acercó a mí corriendo y me tomó entre sus brazos. Yo también me sentía feliz de volver a verle. De todas formas, me inquietó un poco comprobar que tenía en la mano un feo oso pardo. ¡Su madre se lo había comprado en la barbería del barco pensando que yo me había caído por la borda! Pero en cuanto el amo me vio, me abrazó y me besó. Aquella noche me metió en la cama con él y a partir de entonces lo hizo todas las noches, olvidándose por completo del otro oso.

Los supervivientes confeccionan prendas de vestir con mantas y se consuelan mutuamente en el Carpathia.

Durante aquellos cuatro largos días, mi amo y yo pasamos todo el tiempo que pudimos en cubierta, a pesar de que todos los días llovía o estaba nublado. De todas formas, el barco estaba tan abarrotado, ya que en él viajaban los más de setecientos supervivientes del *Titanic* además de los pasajeros del *Carpathia*, que apenas teníamos espacio para movernos. La madre del amo y Muddie Boons se pasaban el día cortando mantas para confeccionar vestidos a los que no tenían.

Un niño de tres años con un camisón hecho con una de las mantas.

Por fin entramos lentamente en el puerto de Nueva York en medio de una tormenta. Unos cuantos barcos no escoltaron, llenos de personas que nos hacían fotos.

«¡Fíjate qué desfile, Muddie Boons, sin banda de música», exclamó el amo al ver la gran multitud de gente y coches que abarrotaba los muelles. Menos mal que pudimos escapar del ajetreo con los familiares que habían acudido a recibirnos.

Estaba contentísimo de poderme relajar en la apacible vida de Tuxedo Park. Tenía la impresión de que la experiencia que habíamos vivido el amo y yo nos había unido aún mas. Él me convirtió en su animal de compañía preferido y me regaló dos conjuntos nuevos para vestirme y una camita de madera blanca. A menudo recordaba los momentos en que estuve a punto de perderme en el vasto océano. Y luego me sentía muchísimo mejor cada noche cuando el amo me metía en la cama junto a él y me susurraba dulcemente al oído: «Buenas noches, Polar».

Ahora el amo va a la escuela y yo me quedo mucho tiempo solo. Pero siempre espero con ilusión el cariñoso saludo que me dedica cuando vuelve. Para mí ha sido un excelente amo y espero que viva muchos años llenos de felicidad. Pese a que me doy cuenta de que a medida que pasen los años le veré cada vez menos, ocurra lo que ocurra, siempre tendré la seguridad de que ocupo un amplio rincón en su sincero y tierno corazón y que me será fiel hasta el fin.

EPÍLOGO

Las cartas, los diarios, los álbumes de fotos y los recuerdos de Daisy Spedden constituyen un testimonio de un estilo de vida que ha desaparecido para siempre. Su baúl familiar es una nave del tiempo procedente de otro mundo. Al volver las páginas de los álbumes de fotos de Daisy vemos imágenes de grandes mansiones con bellos jardines, donde celebran sus fiestas una gente elegantemente vestida. En invierno, viajaban en transatlántico y permanecían temporadas en lujosos hoteles de lugares como Cannes, Madeira y las Bermudas. Ninguno de ellos tenía que trabajar para ganarse la vida, a excepción del servicio, que se ocupaba de los niños y de la casa. Al parecer, muy pocos entre el reducido número de personas que llevaba este estilo de vida ochenta años atrás había pensado que su cómodo mundo acabaría algún día.

Daisy y su madrastra de visita en casa de unos familiares en Connecticut.

Muddie Boons, Douglas y su madre en 1909.

Daisy observa cómo su hijo y la abuela de éste pescan en el estanque del jardín.

En el automóvil que acababa de adquirir la familia.

Douglas posa ataviado de vaquero en el jardín de su abuela.

Los álbumes de fotografías de los Spedden demuestran que Douglas, su único hijo, constituía el centro de su vida. En muchas de las fotos de Daisy le vemos rodeado de bellos juguetes: corría la era dorada de los juguetes, en la que surgieron nuevas creaciones como los osos de peluche y los trenes eléctricos. Como quiera que se habían popularizado los disfraces, en los álbumes encontramos fotos de Douglas vestido de vaquero y con un quimono japonés sosteniendo una sombrilla. Encontramos a menudo a su niñera, Elizabeth Margaret Burns, de apodo Muddie Boons, fotografiada con él, puesto que acompañaba a Douglas y a sus padres en todos sus viajes.

Retrato de Douglas vestido de marinero.

Al finalizar uno de sus periodos de vacaciones en Europa, los Spedden cogieron un tren de París a Cherburgo la mañana del miércoles 10 de abril de 1912. En el mismo tren viajaban otros acaudalados americanos, entre los que se encontraba John Jacob Astor, de quien los periódicos afirmaban que era el hombre más rico del mundo. Aquella noche en Cherburgo, los Spedden, los Astor y otros

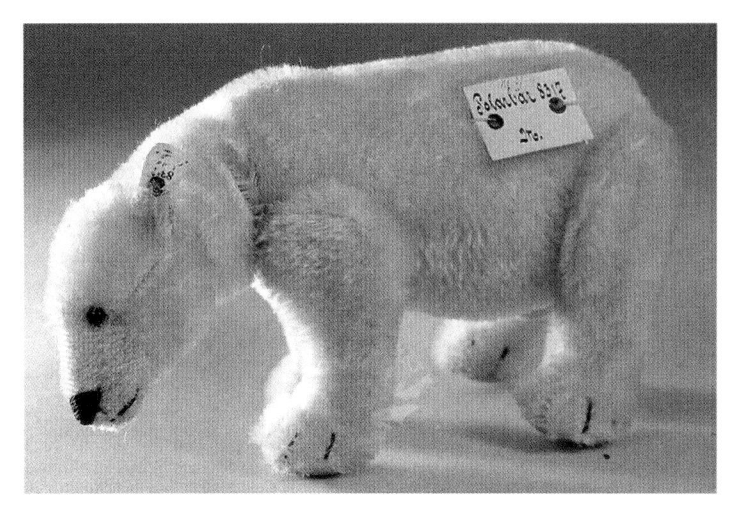

Polar, al igual que otros osos como él, fueron confeccionados por la empresa de renombre mundial Margarete Steiff de Alemania entre 1909 y 1929. Los osos tenían el pelo de mohair blanco, los ojos de cristal negro, la nariz cosida y las patas articuladas (arriba). La demanda internacional de juguetes Steiff con su marca registrada «pegada en la oreja» (encima) creció con gran rapidez a principios de siglo. Se hicieron especialmente populares los ositos de peluche, como el que vemos en la ilustración (a la izquierda) de mohair dorado de los años veinte. La empresa Steiff tenía muchísima fama en el campo de los juguetes y se sigue considerando el principal fabricante de ositos de peluche del mundo.

El Nomadic, *que un día trasladó a los Spedden al* Titanic *desde Cherburgo (a la izquierda), se ha convertido hoy en un restaurante en el Sena de París. Conserva aún parte de sus interiores.*

La única foto de los Spedden en el Titanic *nos muestra a Douglas jugando a la peonza en cubierta (abajo).*

pasajeros con destino a Nueva York llegaron a bordo del *Nomadic* hasta el inmenso *Titanic*, que acababa de llegar de Southampton, Inglaterra. Desde allí el transatlántico se dirigió a Queenstown, Irlanda, su última escala antes de cruzar el Atlántico.

En su diario, Daisy Spedden rememora las agradables actividades llevadas a cabo a bordo del lujoso y flamante transatlántico. Lo que no sabían los Spedden era que el sábado 14 de abril los operadores de radio del *Titanic* iban a recibir seis avisos de hielo. Aquella noche, a las 11,40, los vigías del barco avistaron un gran iceberg al frente. El iceberg chocó contra la parte de estribor de la proa del *Titanic*, y empezó a entrar el agua por las cubiertas inferiores del barco.

Despertó a Daisy y a Frederic, su marido, «*un súbito golpe, un sonido chirriante y la parada de los*

motores del barco». Se vistieron inmediatamente y subieron a cubierta, donde les contaron lo ocurrido. Daisy escribió que todo estaba tan oscuro que no se veía más que el hielo en la parte delantera de la cubierta. Se dio cuenta, sin embargo, de que el barco se ladeaba, y entonces ella y Frederic bajaron a toda prisa a despertar a Douglas, a Muddie Boons y a la doncella de Daisy.

A media noche, el capitán dio órdenes a los operadores de radio de contactar con otros barcos en busca de ayuda. Minutos después, la tripulación se dispuso a distribuir a los pasajeros en los botes salvavidas. El barco contaba tan sólo con dieciséis botes salvavidas y cuatro hinchables: espacio suficiente únicamente para la mitad de los 2.200 pasajeros que iban a bordo del *Titanic*.

Una hora después, el personal de la tripulación ayudó a Daisy, a Douglas, a Muddie Boons y a la doncella de Daisy a meterse en el bote salvavidas nº 3. Luego, no habiendo al parecer más mujeres y niños en cubierta, se permitió entrar en el bote a unos veinte hombres, entre los que se encontraba Frederic. El bote fue bajado unos 20 metros hasta la superficie del agua. Todo estaba tan oscuro que nadie encontró una linterna. Aun así, hasta el alba los supervivientes del bote nº 3 consiguieron seguir la pista de los demás botes que abandonaron el barco guiándose por el resplandor de sus linternas en el agua.

Poco después de las dos de la madrugada, el último bote salvavidas abandonó el *Titanic*. Quedaban más de 1.500 personas a bordo del barco que se ladeaba cada vez más. Minutos después la proa se hundió y los pasajeros empezaron a saltar por la borda. Seguidamente se hundió la chimenea delantera.

Las luces del *Titanic* se apagaron para siempre. La popa se izó en el aire y poco después el barco se partió en dos deslizándose entre las olas. Los pasajeros del bote salvavidas nº 3 no consiguieron convencer al marinero que llevaba el bote para que volviera hacia atrás e intentara rescatar a las personas que estaban en el agua. Temía que el pequeño bote fuera arrastrado hacia el fondo por la succión creada por el enorme *Titanic*.

Poco antes del alba, los helados supervivientes de los botes salvavidas avistaron las luces de un vapor que se acercaba. Después de subir a bordo del barco que les rescató, el *Carpathia*, Daisy Spedden escribió a una amiga en Madeira contándole la dura experiencia que habían vivido. Uno de los pasajes de la carta nos revela, con estimulante sinceridad, lo que sentía ella tras haber pasado una helada, fría y temible noche en el atestado bote salvavidas:

En nuestro bote viajaba una mujer gorda que estuvo insoportable toda la noche, pues no paró de hablar, diciéndoles a los marineros lo que había que hacer, y estuvo constantemente tomando tragos de una petaca de coñac que llevaba encima, sin ofrecer en ningún momento un sorbo a nadie. Además, hacía mucho frío poco antes de amanecer, ya que se levantó viento y nos llegaron unas heladas ráfagas procedentes del iceberg. En cuanto nos acercamos al barco, «nuestra mujer» se levantó de sopetón dispuesta a salir la primera, cuando nos habían avisado que siguiéramos sin movernos, entonces fue cuando yo tuve la inmensa satisfacción de sujetarla por el salvavidas y empujarla para que se sentara.

Se cayó en redondo con las piernas al aire y estaba enfurecida pero la mantuvimos allí hasta que el bote se situó junto al Carpathia, *y entonces a todos nos alegró cederle la delantera para que fuera la primera en subir por la eslinga.*

DURANTE LOS DUROS DÍAS POSTERIORES A LA catástrofe, los Spedden pusieron todo su empeño en aliviar el sufrimiento de quienes se hallaban a bordo del *Carpathia*. Su labor se granjeó la admiración y la amistad del capitán del barco Arthur Rostron. Sus compañeros de viaje recordaron siempre a Daisy y a Frederic Spedden por su gran gentileza, y Daisy apunta en la entrada de su diario del 15 de abril que aquel día se fue a la cama «*destrozada mental y físicamente*» después de «*trabajar todo el día cuidando a la gente, a nuestros protegidos especiales, y también a algunos pasajeros de clase humilde*». Escribió también a su amiga de Madeira que «*dedicamos nuestro tiempo a cuidar a unas personas cuya crueldad les hace decir que no debían haber salvado*

Durante años, Daisy anotó los acontecimientos diarios y los relatos de sus viajes en su diario.

Douglas y Polar, Navidades de 1912.

Douglas a los nueve años en su habitación con Polar.

a las personas de clase humilde, ¡como si no fueran seres humanos!»

Sin embargo, pronto el mundo se planteó la pregunta opuesta, cuestionando por qué razón se habían rescatado tan pocas personas de tercera clase, e incluso surgió una canción popular sobre el *Titanic* que decía que «los dejaron abajo donde eran los primeros en morir».

Hoy en día los historiadores señalan la catástrofe del *Titanic*, a la que siguió dos años más tarde la Primera Guerra Mundial, como el principio del fin de una era en la que la sociedad estaba claramente dividida entre ricos y pobres.

Después de la tragedia del *Titanic*, los Spedden siguieron con su agitada vida, viajando como antes, aunque tal como escribía Daisy: «*Todos los valores de [nuestra] vida cambiaron, y los incidentes cotidianos, a los que en otra época habíamos dado tanta importancia, fueron perdiendo peso hasta convertirse en meras trivialidades*».

Por desgracia, la catástrofe del *Titanic* no fue más que un presagio de la más profunda tristeza que había de embargar a los Spedden. Tres años después del hundimiento del barco, Douglas murió a los nueve años en un accidente de coche cerca de la residencia familiar de verano en Maine. Aquél fue uno de los primeros accidentes automovilísticos del Estado. Nadie sabe qué fue de Polar, el oso.

La residencia Wee Wah de los Spedden en Tuxedo Park.

Daisy Spedden, quien había registrado con tanta meticulosidad todos los acontecimientos de su vida, dejó de llevar su diario tras la muerte de su hijo. Siguió, sin embargo, confeccionando los álbumes de fotografías, que nos muestran a Daisy vestida de luto y a Frederic con brazales negros.

Los Spedden no tuvieron más hijos y pasaron el resto de su vida junto a sus familiares y amigos íntimos o viajando. Todos los inviernos, tras disfrutar de unas semanas en la ciudad de Nueva York, se iban de viaje al extranjero. Al volver a casa en primavera, dividían su tiempo entre Tuxedo Park y la residencia de verano de Maine. Ambos tuvieron una larga vida y murieron con pocos años de diferencia: Frederic en 1947 y Daisy en 1950.

Tal vez sean las palabras que Daisy escribió en la revista de las alumnas de su antigua escuela, dedicadas a las jóvenes que iban a graduarse en el curso de 1933, las que mejor nos demuestran su determinación de centrarse toda su vida en su buena suerte:

> *Cuando mi mente regresa al pasado, lleno de luz y también de las sombras que surgen en la vida de muchas de nosotras, quiero desearos que los recuerdos de vuestras vidas y vuestras amistades sean tan felices como los míos...*

AGRADECIMIENTOS

Laurie McGAw desea expresar un reconocimiento especial a Anthony Facciolo, quien posó como modelo para Douglas, así como a su amiga, Sue Teeter, la madre de Anthony. Quiere agradecer también la colaboración de las siguientes personas, que posaron como modelos para las ilustraciones: Ross Phillips, Gwynne Phillips, Patricia Moon Bartman (quien ha contribuido en la organización) Deborah Gee, Norm Gee, Jennifer Gee, Cynthia J. Apitius, Kim Phillips, Gail Reddick, Scott Horner y Kevin Hancey. Su agradecimiento a Carol McGaw, Kathleen Phillips, George's Trains (Toronto), The Little Dollhouse Company (Toronto), Martin House Dolls i Toys (Thornhill, Ontario) y Moon Shadow Antiques (Badjeros, Ontario) en cuanto a los accesorios; Deborah Gee, Cynthia J. Apitius y Hollywood Costumes (Thornhill, Ontario) por los vestidos; y a Patt Billard por la confección de los vestidos de Polar.

Leighton H. Coleman III quiere recordar a sus abuelos, el señor y la señora Leighton H. Coleman, quienes fueron lo suficientemente previsores para conservar los tesoros familiares para la generación siguiente. Quiere dar las gracias a Merri Ferrell, por su valioso asesoramiento y ayuda, y a Don Dirks, por su incansable colaboración. Finalmente, agradece la contribución de Josh i Julie McClure de Island Color Photography por las maravillosas reproducciones de las fotografías de archivo.

Madison Press Books quiere expresar su especial agradecimiento a Ken Marschall por su competente asesoramiento técnico y la inspiración en la creación de las ilustraciones del Titanic. Querría agradecer también a Don Lynch sus conocimientos históricos. Agradecemos la colaboración de todas las personas que nos han permitido utilizar sus fotografías: George Behe, Joe Carvalho, Jürgen Cieslik, Mr. George A. Fenwick, Mrs. B. Hambly, Otmar Dreher y Jörg Junginger de Margarete Steiff GmbH, Ed y Karen Kamuda de la Titanic Historical Society (P.O. Box 51053, Indian Orchard, Massachusetts 01151-0053), Don Lynch y Ken Marschall. Y, finalmente, damos las gracias a Dick Frantz, quien precisó que Polar era un oso de la casa Steiff.

DERECHOS EN CUANTO A LAS ILUSTRACIONES

Todas las fotografías pertenecen a los álbumes de Daisy Corning Stone Spedden, a menos que se especifique lo contrario.

Contracubierta: (Izquierda) Ken Marschall Collection

6: Ilustración a cargo de Daisy Corning Stone Spedden

12: (Izquierda) Collection of The New-York Historical Society (Derecha) The New York Public Library

14: (Arriba) Kamuda Collection/The Titanic Historical Society

24: (Arriba, a la derecha) Mary Evans Picture Library

26: (Izquierda) Mary Evans Picture Library

28: Mary Evans Picture Library

32: Ken Marschall Collection

34: (Arriba, a la izquierda) The Father Browne S.J. Collection
(En la parte superior derecha) Joe Carvalho Collection
(Abajo) Ken Marschall Collection

37: (Izquierda) George Behe Collection
(Arriba, a la derecha) Brown Brothers
(Abajo) Ken Marschall Collection

44: (Arriba) Ken Marschall Collection
(Abajo, a la izquierda) Ken Marschall Collection
(Abajo, a la derecha) Brown Brothers

47: (A la izquierda) Gentileza de Mr. George A. Fenwick
(A la derecha) The Titanic Historical Society

48: Archivos de la familia Spedden

50: (Arriba, a la izquierda) Mary Evans Picture Library
(Arriba, a la derecha) Mary Evans Picture Library
(Abajo) Mrs. B. Hambly Collection

57: (Arriba, a la derecha) Margarete Steiff GmbH
(En medio, a la derecha) Jürgen Cieslik of Verlag Marianne Cieslik
(Abajo) Con permiso de Kunstverlag Weingarten/Germany from R. and C. Pistorius: Die Schönsten Teddys un Tiere von Steiff.

58: (Arriba e insertado) Ken Marschall Collection
(Abajo) The Father Browne S.J. Collection

59: Obra de Ken Marschall

POLAR
UN OSITO EN EL TITANIC